Und so funk

1. Zuerst die Informationsseiten l

2. Dann aus den einzelnen Bausteinen Salate, Pfannen und Aufläufe, Beilagen, Gemüse, Fleisch und Fisch ein Gericht zusammenstellen und eine Entscheidung zwischen den unendlich vielen Möglichkeiten fällen!
Die Angaben sind immer für 2 Personen.

3. Das Essen fotografieren und danach schmecken lassen.

4. Das Foto auf:
WWW.LEBEN-OHNE-HISTAMIN.BLOGSPOT.DE
hochladen und das Rezept bewerten!
Tipps und Tricks finden und auch verraten, mit Gleichgesinnten austauschen, Beiträge kommentieren und die Fotos bewerten.

5. Dann „Leben ohne Histamin - Das Kochbuch" weiterempfehlen! Mit glutenfreien, laktosefreien, fettarmen und natürlich histaminarmen Rezepten!

1. Auflage, Oktober 2014
Umschlaggestaltung, Illustration: Lisa-Marie Krauße
Lektorat, Korrektorat: Catrin Krauße
weitere Mitwirkende: Olf Krauße, Clemens Güth

Verlag: tredition GmbH, Hamburg

ISBN Paperback: 978-3-7323-0307-6
ISBN Hardcover: 978-3-7323-0308-3
ISBN e-Book: 978-3-7323-0309-0

Bibliografische Information der Deutschen Nationalbibliothek:
Die Deutsche Nationalbibliothek verzeichnet diese Publikation in der Deutschen Nationalbibliografie; detaillierte bibliografische Daten sind im Internet über http://dnb.d-nb.de abrufbar.

Widmung

möchte **MEINEN ELTERN** danken!
danke ihnen für ihren unerschöpflichen Optimismus! Dafür, dass sie
h immer aufgemuntert haben. Wenn ich am Boden war und die
fnung, dass es mir irgendwann besser gehen wird, verloren hatte,
utigten und stärkten sie mich. Vielen Dank für eure Unterstützung
dafür, dass ihr mich immer ernst genommen habt!
len Dank für unendlich viele Vitaminbomben! Für verstecktes Fleisch,
nit ich es esse und für alle Versuche, mich aufzupäppeln!
hab euch unendlich doll lieb!

ßerdem danke ich noch **MEINEM FREUND.**
hat mir immer geglaubt und hat mein Befinden ernst genommen. Er hat
r viel Rücksicht genommen und meine schlechte Laune ignoriert.
hat mit mir gelernt und mir bei den Hausaufgaben geholfen, wenn ich
körperlich nicht mehr geschafft habe. Er hat mich immer wieder ins Bett
ragen, wenn ich nicht mehr konnte und hat den Haushalt erledigt,
hrend ich schlief. Er hat mich umsorgt, motiviert und gebremst.
danke dir dafür, dass du diese schwere Zeit mit mir durchgestanden
t und dass du für die Beziehung gekämpft hast, obwohl du von
fang an wusstest, worauf du dich einlässt!
nke für deine Kraft und deinen Mut! Ich liebe dich über alles!

guter Letzt gilt mein Dank noch einer Person, ohne die es mir
hrscheinlich jetzt immernoch so schlecht gehen würde.
hatte noch nie etwas von "Histamin" gehört, sämtliche Ärzte waren
mir verzweifelt. Dann bekam ich aber einen Tipp von einer Lehrerin.
war die erste Lehrerin, die wissen wollte, warum ich im Unterricht
chgelassen hatte, mit der ich über mein Befinden sprach und ich das
fühl hatte, dass sie mich ernst nimmt. Sie nannte mir den Namen
es Arztes, den ich mal aufsuchen solle, denn er hatte bei ihr eine
taminintoleranz festgestellt.

möchte **KARIN KIENAPFEL** dafür danken, dass Sie mir geholfen hat.
für, dass Sie mich ernst genommen hat und um mich bemüht war.
haben herausgefunden, was kein Arzt wusste. Sie haben mir meine
bensfreude zurückgebracht und auf eine gewisse Art und Weise
ses Buch ermöglicht! Ich danke Ihnen von ganzem Herzen!

Mein Weg

Ich bin sehr stolz auf mein Buc
muss ich zugeben. Ich bin stolz
darauf, nach so kurzer Zeit mit
meiner Krankheit zurecht zu
kommen und sie sogar als Chance
sehen. Als Chance, neue Menschen
derselben Intoleranz kennen zu lernen
und als Chance, anderen zu helfen und m
helfen zu lassen. Als Chance, dieses Buch z
gestalten und es sogar zugänglich zu machen. Ic
bin stolz auf meine Ideen, auf meinen Mut und meine Lebensfreude.
Und das sollten wir alle sein!
Natürlich... es gibt viel schlimmere Krankheiten! Aber wir müssen es schaffen, einen schlechten Tag ohne Pizza zu überstehen, Liebeskummer ohne Schokolade und Partys ohne Alkohol. Wir müsse ständig genervte Kellner nach Inhaltsstoffen fragen, uns blöde Blicke mit stillem Wasser in der Disco, gefallen lassen. Wir müssen frisch kochen, egal wie wenig Zeit ist und immer wieder erklären, wovon wi betroffen sind...
Und dann dieser lange Weg bis zur Diagnose! Ich hatte nie darüber nachgedacht, dass meine Beschwerden von der Ernährung kommen könnten...Ich hatte mich doch immer gesund ernährt! Ich aß gesunde Tomaten...gesunde Bananen...gesunde Erbsen...gesundes Brot. Alles sehr gesund, aber eben leider nicht für mich.
Ich wurde schwach...und unendlich müde! Schließlich konnte ich mein Teller keine vier Meter von der Küche ins Wohnzimmer tragen, weil ic zu schwach war.
Ständig brach ich einfach zusammen und konnte nicht mehr aufstehen, hatte Konzentrationsschwierigkeiten, Gedächtnislücken, Migräne, Schwindel, Bauchschmerzen.
Was war ich bei Ärzten...mit einem unendlichem Optimismus machte meine Mama einen Arzttermin nach dem anderen!
Wenn ich schon nicht mehr daran glaubte, dass ich mich irgendwann besser fühlen werde, las sie etwas in einer Zeitschrift, im Internet, hörte etwas von einer Bekannten oder bekam rausgerissene Seiten a Apothekenzeitschriften von meiner Omi zugeschickt.

as haben wir nicht alles versucht! Bestimmt hat jeder von uns
ndestens einmal von einem Arzt gehört: „Das ist sicher nur der
ress! Ruhen sie sich doch mal eine Weile aus! Ich schreibe sie krank."
er ich wollte doch nicht krank geschrieben werden! Ich wollte stark
in und mich nicht ausbremsen lassen! Ich wollte eine Diagnose und
ich endlich wieder gut fühlen!
hrer sagten mir „ich wäre zu jung, um krank zu sein", sie gaben mir
hlechtere Noten, weil sie dachten, ich hätte einen Arzt an der Hand,
r mit Attesten um sich wirft. Was man alles zuhause nachholte, wurde
cht gesehen.
meinem Sportverein hatte ich schon bald keine Trainingspartner
ehr und der Trainer sagte, ich wäre selbst Schuld, wenn ich keine
Zeit" für das Training hätte.
h hatte sogar sehr viel Zeit...im Krankenhaus...aber das verstand er
cht oder wollte es nicht.
er kennt nicht dieses Gefühl, wenn man denkt: „Jetzt! Jetzt haben wir
dlich die Lösung! Schon bald wird es mir besser gehen!" Und wer
nnt nicht dieses Gefühl, ein paar Wochen später, wenn sich absolut
chts geändert hat...
ein eines Auge ist so schlecht! Davon kommen die Kopfschmerzen
stimmt! Ich hab sechs Weißheitszähne! Das wird's sein! Ich habe eine
eferhöhlenentzündung und muss operiert werden! Danach wird es mir
sser gehen! Doch alles wurde nur noch schlimmer...
er hätte ahnen können, dass bei der Narkose Histamin ausgeschüttet
ird? Wer hätte ahnen können, dass es „nur" eine Intoleranz ist? Und
er hätte ahnen können, dass die Lösung so einfach ist!
h habe von einem Tag auf den anderen meine Ernährung umgestellt.
m nächsten Tag fühlte ich mich das erste Mal wieder lebendig,
as erste Mal seit Jahren.
h konnte richtig zupacken, ich war wach...und mir war nicht
chwindelig! Ich trug meinen Teller alleine zum Tisch!
h fühlte mich großartig!

Was ist Histamin?

Histamin ist altgriechisch und bedeutet Gewebe. Es ist ein natürlicher Stoff, der sich in Lebensmitteln befindet, aber auch im menschlichen Körper gebildet wird. Dort erfüllt er viele verschiedene Aufgaben, vor allem als Botenstoff.

Botenstoffe dienen dem Körper zur Übertragung von Signalen, ein Beispiel dafür sind Hormone.
Als einer der Botenstoffe bewirkt Histamin zum Beispiel bei einer Entzündungsreaktion eine örtliche Anschwellung des Gewebes, eine erhöhte Durchlässigkeit der Blutgefäßwände und eine Erweiterung der Blutgefäße. Somit kann der entzündete Bereich besser durchblutet werden und es wird das Eindringen von Abwehrzellen erleichtert.

Histamine spielen eine wichtige Rolle bei allergischen Reaktionen und sind am Immunsystem beteiligt, also an der Abwehr körperfremder Stoffe. Außerdem sind sie wichtige Regulatoren im Magen und im Darr Sie passen die Magensäureproduktion an, steuern den Schlaf-Wach-Rhythmus und den Appetit.

Histamin ist, biochemisch gesehen, ein biogenes Amin, wie auch zum Beispiel Tyramin, Putrescin und Phenylethylamin.
Sie kommen meistens gemeinsam mit Histamin in Lebensmitteln vor und können im Zuge einer Histaminintoleranz ebenfalls zu Beschwerde führen.
Tyramin wirkt beispielsweise, wie Histamin, auf die Blutgefäße ein und Putrescin hemmt den Histaminabbau. In zu vermeidender Schokolade und Kakao ist kein Histamin, aber zum Beispiel Tyramin und Phenylethylamin. Putrescin ist in Zitrusfrüchten enthalten, wie zum Beispiel in Orangen, Limetten oder Zitronen.

Deshalb sollte man bei einer Intoleranz nicht nur Histamin meiden, sondern auch einige andere biogene Amine.
Außerdem gibt es sogenannte Histaminliberatoren, Substanzen, die im Gewebe Histamin freisetzen und somit auch Reaktionen auslösen können. Zu diesen Liberatoren gehören zum Beispiel Tomaten, Meeresfrüchte und Erdbeeren. Diese Lebensmittel sollten vorsichtig probiert werden, sind aber in manchen Fällen verträglich.

Was ist HIT?

istaminintoleranz (HIT) beizeichnet die Unverträglichkeit von
istamin. Dies ist jedoch keine Allergie, da das Immunsystem an der
eaktion auf die Unverträglichkeit nicht beteiligt ist.
er Körper reagiert lediglich mit ähnlichen Symptomen.
s gibt zwei verschiedene Arten von HIT, Typ DAO und Typ HNMT.

TYP DAO (AKUT)

ieser Typ wurde nach dem Enzym Diaminoxidase im Dünndarm
enannt. Dieses Enzym ist für den Abbau von Histamin verantwortlich.
ei einem gesunden Menschen wird ständig Diaminoxidase (DAO)
roduziert, welches das Histamin schon im Darm neutralisiert.
Venn die Aktivität von DAO beschränkt ist, kann Histamin nur
eilweise oder gar nicht abgebaut werden.
Venn dann Nahrungsmittel mit Histamin oder histaminfreisetzenden
toffen verzehrt werden, kommt es zu einer Reaktion des Körpers.
lan kann es sich wie in einem Histaminstau vorstellen. Dieser entsteht
ehr schnell, nimmt aber auch zügig wieder ab.
Vird zu wenig DAO im Körper produziert, hat man schon bei sehr
eringen Mengen an Histamin Beschwerden.

TYP HNMT (CHRONISCH)

er Name wurde von dem Enzym Histamin-N-Methyltransferase
bgeleitet. Wenn dieses Enzym zu wenig vorhanden ist kommt es
benfalls zu einer HIT.
er Unterschied ist, dass sich hier eine langsame Ansammlung an
listamin bildet. Wenn dem Körper dann Histamin zugeführt wird, wird
ie Grenze überschritten. Wie bei einem Wasserfass, bei dem ein
inziger Tropfen das Fass zum überlaufen bringen kann.
ie Hauptabbauwege von HNMT liegen im Zentralnervensystem, in der
ronchialschleimhaut und in der Haut. Deswegen sind diese Regionen
on den Beschwerden meistens besonders betroffen.
ei diesem Typ halten die Beschwerden länger an als bei dem Typ DAO.

Bin ich betroffen?

Die Symptome von HIT sind weitreichend. Ich werde hier nur einen Bruchteil von dem aufzählen, was eine Histaminintoleranz ausmachen kann. Die Beschwerden bei einer Histaminintoleranz können denen eine Allergie, Erkältung oder sogar einer Lebensmittelvergiftung gleichen. Je nach Typ der Intoleranz (siehe vorige Seiten) können die Beschwerden schubweise auftreten oder länger andauern, sodass Betroffene die Symptome oft nicht in Zusammenhang mit der Ernährung setzen. Sie können aber auch kurz nach dem Essen auftreten.
Die Symptome sind individuell und bei jedem anders, außerdem sind si oftmals sehr unspezifisch und so breit gefächert, dass man keinen Zusammenhang vermutet.

Für eine Diagnose sollte man unbedingt einen Arzt aufsuchen.
Nur anhand der Symptome kann man keine HIT feststellen!
Die nachfolgend aufgezählten Beschwerden sind subjektiv und beruhen lediglich auf den Erfahrungen Betroffener.

Sortiert nach Körperregionen beginnt die Aufzählung am KOPF.
Häufige Symptome sind zum Beispiel trockene Lippen, eine ständig laufende Nase, anhaltender Hustenreiz und Halsschmerzen, häufiges Räuspern, eine Nebenhöhlenentzündung, Mandelentzündung, Atembeschwerden, verkrampfte Kiefermuskulatur, Zahnschmerzen, Erröten im Gesicht (Flush), Niesen, Schwellungen (zum Beipiel geschwollene Augenlider), gerötete, tränende Augen, getrübter Blick, Akne/Pickel, fettige Haut, Kopfschmerzen/Migräne, juckende Kopfhaut

In der OBERKÖRPER- UND HERZREGION können Symptome wie Herzrasen, Blutdruckabfall, starkes Schwitzen und Hitzewallungen auftreten.

ıer **BAUCH- UND BLASENREGION** kann es zu Bauchschmerzen,
ıungen, Menstruationsbeschwerden/Zyklusschwankungen und
figem Wasserlassen kommen.

ı **GESAMTEN KÖRPER** betreffen, bzw. das **GESAMTE
HLBEFINDEN** kann von Symptomen wie Übelkeit, Erbrechen,
kreiz, Ausschläge, Schwindelgefühl, Energielosigkeit, Müdigkeit,
chöpfungszustände, Einschlaf- und Durchschlafprobleme, sowie
lender Tiefschlaf, bis hin zu Schlaflosigkeit, geistiger
stungsunfähigkeit, eingeschränktes Abrufen von Erinnerungen,
rnout-Gefühl, Nervosität ohne Anlass, Muskelzucken, Zittern,
gesslichkeit, Lärmempfindlichkeit, Heißhungerattacken,
ckenschmerzen, Konzentrationsstörungen und Wetterfühligkeit
geschränkt werden.

ITERE SYMPTOME können Traurigkeit, Melancholie, Weinerlichkeit,
ressive Verstimmungen, bis hin zu Suizidgedanken sein.

Worin ist Histamin?

Eine genaue Beschreibung kann man an dieser Stelle nicht liefern. Was verträglich ist und was nicht, kann sich von Person zu Person unterscheiden. Grundsätzlich gilt aber, dass man Fertigprodukte, Halbfertigprodukte, Konserven, lang gelagerte oder aufgewärmte Lebensmittel unbedingt meiden sollte.
Außerdem sollte man auf Produkte, nach einem Reife-, Gährungs-, od Fermentationsprozess verzichten.
Beispiele dafür sind Essig und Alkohol.

Fleisch und Fisch sollte also vermieden werden, wenn es in irgendein Art und Weise haltbar gemacht wurde, durch zum Beispiel trocknen, konservieren, marinieren oder räuchern.
Außerdem sollte man auf zerkleinertes Fleisch, wie Brotaufstrich ode Aufschnitt verzichten.

Bei Gemüse sollte man unbedingt auf Tomaten, Spinat, Sauerkraut un Avocado verzichten, sie sind stark histaminhaltig.
Früchte, wie Erdbeeren, Bananen, Zitrusfrüchte und Nüsse sind meistens ebenfalls unverträglich.

Außerdem muss auf Schokolade und Kakao verzichtet werden.

Zusätzlich sollten auch Hefe und hefehaltige Backwaren vermieden werden. Weizenprodukte sind oftmals nur in sehr geringen Mengen verträglich.

Kategorie 3 -> Kann schon in geringsten Mengen unverträglich sein		
Alkohol rein (Ethanol)	Nüsse	Sojasauce
Alkoholhaltige Getränke	Orangen	Thunfisch
Champagner	Rohschinken	Trockenfleisch
Essig	Räucherfleisch	Walnuss
Frischfisch (Theke)	Salami	Wein
Hartkäse, Emmentalter	Sauerkraut	Wurstwaren
Käse, lang gereift	Spirituosen (nicht klar)	
Limette	Sekt	

Kategorie 2 -> Ist (evt. nur in größeren Mengen) unverträglich.

nanas	Grapefruit	Pilze
ubergine	Hefeextrakt	Rohmilchprodukte
vocado	Himbeeren	Rucola
anane	Innereien	Rum
ier	Iod	Schmelzkäse
ohnen	Johannisbrotkernmehl	Schnaps (klar)
ouillon/Brühe	Kakao	Schokolade, dunkel
rennessel	Kichererbsen	Schwarzer Tee
uchweizen	Kiwi	Senf
heddar	Lakritze	Soja
hilli (rot)	Malzextrakt	Sonnenblumenkerne
urry	Mandarine	Spinat
iweiß	Meeresfrüchte	Tofu
nergy-Drinks	Oliven	Tomaten
rdbeere	Orangensaft	Weißwein
rdnüsse	Paprikapulver (scharf)	Zitronen
ssiggurke	Pfeffer	Zitrusfrüchte

Kategorie 1 -> Kann in größeren Mengen unverträglich sein.

pfelessig	Hagebutte	Milch (laktosefrei)
ackpulver	Haselnuss	Milchpulver
irne	Hefe	Mohn
rot/ Brotware	Ingwer	Muskatnuss
uttermilch	Joghurt (Natur)	Rhabarber
ashewnüsse	Kaffee	Roggen
hampignons	Knoblauch	Rohmilch
ill	Kohlensäure	Rosenkohl
rbsen	Kohlrabi	Schnittlauch
spresso	Kräutermischungen	Schweinefleisch
elatine (E441)	Künstliche Süßstoffe	Sesam
erste	Lauch	Sonnenblumenöl
etreide allgemein	Limonadengetränke	Vanille
luten	Mandeln	Vanilleextrakt
rüner Tee	Mango	weiße Schokolade
uarkernmehl	Marzipan	

Unbedenklich -> Kann unbedenklich verzehrt werden.		
Ahornsirup	Karamell	Preiselbeeren
Apfel	Karotten	Quark
Aprikose	Kartoffeln	Radieschen
Basilikum	Kirsche	Rapsöl
Blumenkohl	Kohl (teilw., s. Tabellen)	Reis
Brokkoli	Kokosnuss	Reisnudeln
Butter	Kräuter (getrocknet)	Ricotta
Butterkäse	Kürbis	Rosinen
Cassis	Lindenblütentee	Rosmarin
Chicoree	Litschi	rote Beete
Chinakohl	Macadamia	Rotkohl
Cornflakes	Mais	Sahne
Dinkel	Maltodextrin	Salbei
Edel-/Esskastanien	Maltose	Sanddorn
Eigelb	Malzzucker	Sellerie
Eisbergsalat	Margarine	Spargel
Fisch (TK, fangfrisch)	Mascarpone	Stärke
Fenchel	Melonen (außer Wasser-)	Stevia
Frischkäse	Milchzucker	stilles Mineralwasser
Geflügelfleisch	Mozzarella	Süßkartoffeln
Gouda jung	Nektarinen	Vanillin
Grüne Bohnen	Olivenöl	Weinsteinbackpulver E33
Gurke	Oregano	Weißkohl
Hackfleisch frisch	Paprika	Zimt
Heidelbeeren	Paprikapulver (mild)	Zucchini
Hirse	pasteurisierte Milch	Zucker
H-Milch	Pepperoni	Zuckercouleur E150
Holunderblütensirup	Petersilie	Zwiebel (weiß)
Honig	Pfefferminze	
Johannesbeeren	Pfirsich	

Medikamente

atürlich können auch in Medikamenten unverträgliche Stoffe
ɔrkommen, welche zu Beschwerden führen oder die Beschwerden
erschlimmern.
ies ist nur eine stark verkürzte Auflistung von diesen Medikamenten.
ei Fragen sollte man sich unbedingt an einen Arzt wenden!

esonders sollte man sich bei Antibiotika, Schmerzmitteln und
arkosemitteln über die Verträglichkeit oder eventuelle
nverträglichkeit erkundigen.

us eigener Erfahrung weiß ich, dass Ärzte und Apotheker oftmals
elbst sehr ratlos sind, deswegen sollte man sich eventuell aus
achbüchern oder dem Internet (VORSICHT! Informationen lieber
ehrmals überprüfen!) Wirkstoffe heraussuchen, welche die
ledikamente nicht enthalten dürfen.

ine HIT muss auch unbedingt vor, zum Beipiel Operationen oder
nderen Eingriffen angegeben werden!

ußerdem sind ALLE Röntgenkontrastmittel histaminhaltig!
ier ist besondere Vorsicht geboten!

Unverträglich		
ıcemetacin	Ciprofloxacin	Promethazin
ıcetylsalicylsäure	Clavulansäure	Propanidid
ılcuronium	Curare	Pyrazolone
ıminophyllin	D-Cycloserin	Rifampicin
ımitriptylin	Framycetin	Röntgenkontrastmittel
ımphotericin B	Neomycin	Tacrin
3arbiturate	Noscapin	Teicoplanin
Cefotiam	Opiate	Theophyllin
Chinidin	Pancuronium	Vancomycin
Chloroquin	Polymyxin B	
Chlortetrazykline	Prilocain	

Leben ohne Histamin

DAS BUCH

Dieses Buch ist ein Leitfaden. Nicht alle Rezepte sind für jeden Betroffenen perfekt geeignet, da die meisten Menschen sehr unterschiedlich auf verschiedene Lebensmittel reagieren.
Die Farben sollen dabei helfen, eine eventuelle Unverträglichkeit zu erkennen.
Orange bedeutet, das Gericht kann unverträglich sein, durch zum Beispiel viel Ei.
Grün bedeutet, dass das Rezept verträglich sein müsste und es keine Probleme geben dürfte.

Ich begann, nach langer Ungewissheit, eines Tages mich histaminarm zu ernähren. Von Jetzt auf Gleich.
Mein Frühstück waren Maronen und ich aß fast ausschließlich Reis und Kartoffeln. Schon nach kurzer Zeit konnte ich den Reis nicht mehr sehen! Ich suchte nach einem schönen Kochbuch, weil ich sehr gerne koche. Aber ich fand nichts!

Es gab kein Kochbuch, mit durchgängig guten Bewertungen!
Also machte ich mich selbst daran! Es sollte ein Kochbuch sein, das nicht nur histaminarme Rezepte liefert, sondern auch Informationen! Es sollte Spaß vermitteln und Lebensfreude! Es sollte bunt sein und interessant! Keine Rezepte, die lange dauern, sondern ein Buch für den Alltag!
Mit einfachen, schnellen, aber superleckeren Rezepten.
Ein Buch mit Rezepten, die jedem schmecken! Man soll nicht zweimal kochen müssen, zum Beispiel für sich selbst und den Partner, der vielleicht nicht betroffen ist. Die Rezepte sind für Jedermann, egal ob betroffen oder nicht.

DER BLOG

kenne kein Kochbuch, das auch eine interaktive Seite hat! Der Blog dabei helfen, sich auszutauschen. Es soll nicht nur die Krankheit matisiert werden, sondern das Kochen und die Lebensfreude. möchte eure Rezeptideen hören, wie ihr mit der Krankheit umgeht, chte eure alltäglichen Geschichten hören, Tipps geben und Tipps ommen!

s ist eure Meinung zu meinem Buch? Was gefällt euch? Was gefällt h nicht? Was habt ihr schon probiert? Was hat euch besonders chmeckt?
ickt mir die Resultate dieser Rezepte, zeigt mir, wie sie bei euch sehen und wie ihr die Gerichte vielleicht noch verfeinert habt!

bin keine Köchin! Ich bin nur eine 19-jährige Frau, die gerne kocht an HIT leidet!
bin keine Autorin, keine Ärztin, keine Expertin und erst recht keine ografin, wie man sieht!
bin offen für eure Tipps! Zeigt mir, wie ihr es besser macht! Auf:

WWW.LEBEN-OHNE-HISTAMIN.BLOGSPOT.DE

Inhaltsverzeichnis

Sa

late

Feldsalat mit Brat- Feta

20g	Feldsalat
1	Paprika (ge
1/2	Gurke
1	Zwiebel
100g	Feta
150g	Naturjoghu (fettarm)
1Bund	Schnittlauc
	Salz
	Honig
	Rapsöl
	Paniermehl (evt. gluten

1. Den Salat waschen und in Stücke zupfen. Gurke und Paprika waschen und in Stücke schneiden. Zwiebel schälen, halbieren und in Ringe schneiden.

2. Feta in Würfel schneiden. Erst in Honig tauchen, dann in Paniermehl wälzen. In heißem Öl anbraten, bis sie goldbraun und kross sind.

3. Für das Dressing Schnittlauch in Ringe schneiden. Die Ringe mit dem Naturjoghurt und dem Honig gut verrühren.
   Danach salzen und über den Salat geben.

Radieschensalat

Bund Radieschen

Apfel

Lauchzwiebeln n.B.

Rapsöl

Salz

Kräuter
nittlauch oder Petersilie)

1. Radieschen vom Grün trennen, waschen und in dünne Scheiben schneiden.

2. Apfel schälen, entkernen und in quadratische Scheiben scneiden.

3. Öl, Salz und Kräuter nach Geschmack vermengen und mit dem Salat vermischen.

4. Nach Belieben und Verträglickeit noch Lauchzwiebeln abwaschen, in Ringe schneiden und hinzugeben.

Reisnudelsalat

150g	Reisnudeln
1	Paprika
1/2	Dose Mais
	Salz

Für das Dressing:

150g	Naturjoghurt
1/2	Knoblauchzehe
2EL	Schnittlauch
1EL	Honig

1. Die Reisnudeln kochen.
2. Die Paprika entkernen, abwaschen und in in Stücke schneiden.
3. Für das Dressing die Zutaten gut verrühren.
4. Dann die Reisnudeln mit der Paprika und dem Mais vermengen und das Dressing unterrühren. Nach Belieben würzen.
5. Sofort warm genießen oder erst abkühlen lassen.

Gurkensalat

Salatgurke

L Paprika edelsüß

0g Sahnejoghurt

Salz

Schnittlauch

1. Gurken waschen, n.B. schälen und in feine Scheiben hoblen.

2. In einem Sieb salzen und 15 Minuten abtropfen lassen.

4. Paprikapulver mit Joghurt verrühren und unter die Gurke heben. Die Kräuter darüber streuen.

Zucchinisalat

200g Zucchini

200g Paprika

5EL Rapsöl

Salz

Knoblauch

Petersilie, gehackte Mandeln oder Kokosraspeln

1. Die Zucchini schälen und in feine Streifen schneiden.

2. Die Paprika entkernen, abwaschen und ebenfalls in feine Streifen schneiden.

3. Den Knoblauch in das Öl pressen, salzen und Petersilie, gehackte Mandeln oder angebratene Kokosraspeln hinzugeben.

4. Das Dressing nun zum Salat geben und gut vermischen.

Tipp: Schmeckt auch gebraten sehr gut oder 20 Minuten bei 180°C gebacken.

Reissalat mit Paprika und Joghurtdip

5g Basmatireis
1/2 Paprika (bunt)
2 Zwiebel
0g Magermilch-Joghurt
g saure Sahne
2TL Honig
Salz
Basilikum
Petersilie

1. Den Reis kochen und abkühlen lassen.

2. Die Paprika abwaschen, entkernen und in kleine Stücke schneiden. Die Zwiebel schälen und in halbe Ringe schneiden.

3. Den Magermilch-Joghurt mit der sauren Sahne verrühren und mit Salz und Honig würzen. Die Kräuter ebenfalls unterrühren.

4. Den Reis mit der Paprika und Zwiebel vermischen. Einen Teil des Dips darauf verteilen, den restlichen Dip gesondert dazureichen.

nnen
nd
läufe

Reisnudeln mit Putenbrust

125g	Reisnudeln
3rote	Paprika
1	Zwiebel
100g	Putenbrust
0,5l	Wasser
	Salz
	Kräuter (Peters

1. Die Reisnudeln kochen und abgießen.
2. Zwiebel in kleine Stücke schneiden und in einer Pfanne erhitzen.
3. Die Paprika und das Putenfleisch in Streifen schneiden und zu den Zwiebeln geben.
4. Wenn das Fleisch gut durchgebraten ist, das Ganze mit 0,5l Wasser ablöschen.
5. Je nach Bedarf noch Wasser hinzugeben, bis die Paprika weich ist und eine „Paprikasoße“ entstanden ist.
6. Die Nudeln hinzugeben und alles gut durchmischen.

Kartoffelgratin

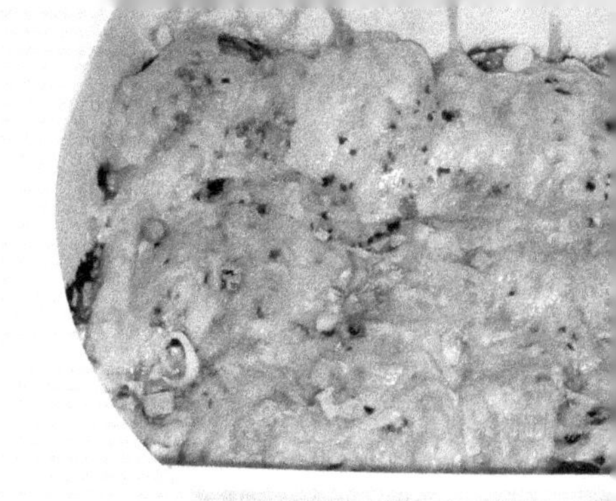

- mittelgroße Kartoffeln
- 0ml Sahne
- Salz
- Kräuter (z.B. Oregano)
- evt. Lauchzwiebeln
- 0g Gouda (jung) gerieben

1. Kartoffeln schälen und in Scheiben schneiden.
2. Die Scheiben in eine Auflaufform schichten.
3. Sahne würzen und über die Kartoffeln gießen.
4. 25 Minuten bei 180°C backen.
5. Den Käse darüber streuen und weitere 20 Minuten backen, bis der Käse braun ist.
6. Nach Bedarf noch Lauchzwiebelringe darauf verteilen.

Gemüse-Reis-Pfanne

200g	Reis
1 rote	Paprika
1 gelbe	Paprika
1	Zucchini
1	Knoblauchzehe
4EL	Olivenöl
	Salz
	Petersilie gehackt

1. Den Reis kochen, Zucchini abwaschen und in Stücke schneiden. Die Paprika abwaschen, entkernen und würfeln.

2. Das Gemüse in einer Pfanne mit 0,3l Wasser kochen, bis das Wasser fast verdunstet ist.

3. Den Knoblauch schälen, fein hacken und mit dem Öl, Salz und Petersilie vermischen. Dann in die Pfanne geben.

4. Den Reis ebenfalls hinzugeben und alles gut durchmischen.

Kartoffel-Bohnen-Pfanne

- 0g Kartoffeln
- 0g grüne Bohnen (TK)
- 0g Gouda (jung)

1. Kartoffeln schälen und kochen. Dann in Scheiben schneiden und in einer Pfanne mit Öl anbraten.

2. Die Bohnen kochen und dann in der Pfanne mit den Kartoffeln kurz mit anbraten.

3. Den Gouda hinzufügen, wenn die Kartoffeln braun sind. Den Käse darauf verteilen und rühren.

Reisnudeln mit Spargel und Lachs

500g Spargel

200g Reisnudeln

250g Lachsfilet (frisch

Für die Soße:

2EL Soßenbinder (hel

100ml Schlagsahne

50g Gouda (jung)

30g Frischkäse

Salz

Petersilie

1. Den Spargel schälen, in Stücke schneiden und 10-15 Minuten kochen. Die Reisnudeln dazugeben und fertig garen. Das Ganze in einem Sieb abtropfen lassen.

2. Den Lachs in Würfel schneiden und in einer Pfanne fertig garen.

3. Die Sahne zum Kochen bringen und den Soßenbinder, Gouda, Frischkäse, Salz und Kräuter hinzugeben. Unter ständigem Rühren erneut aufkochen.

4. Den Lachs in die Soße geben und über die Nudeln gießen. Mit Kräutern ganieren.

Gemüse- Puten- Pfanne

- g Hähnchenfleisch (frisch)
- Zwiebel
- kleine Paprika (bunt)
- Zucchini
- g Feta n.B.

1. Das Fleisch abwaschen, in Stücke schneiden und goldbraun braten.
2. Die Zwiebel in große Stücke schneiden.
3. Paprika und Zucchini säubern und würfeln.
4. Das Fleisch ablöschen und die Zwiebel, Paprika und Zucchini hinzugeben.
   Alles 10 Minuten kochen und dann salzen.
5. Nun eventuell den Feta in Stücke schneiden und untermischen.
6. Aus der Pfanne nehmen und servieren.

Kartoffelauflauf Brokkoli und Blumenkohl

800g	Kartoffeln
200ml	Sahne
1	Zwiebel
1	kleiner Blumenk
1	Brokkoli
50g	Gouda (jung)
n.B.	Gouda zum Best
	Basilikum

1. Röschen vom Blumenkohl lösen und kochen. Den Fond auffangen.

2. Kartoffeln schälen, in Scheiben schneiden und kochen. Brokkoli ebenfalls schneiden und kochen.

3. Zwiebel schälen, würfeln und in Öl anbraten.

4. Mit 200ml Sahne und 200ml Blumenkohlfond ablöschen. Unter Rühren aufkochen lassen.

5. 50g Käse darin schmelzen und Salz und Basilikum dazugeben.

6. Die Kartoffeln, den Blumenkohl und den Brokkoli in eine Auflaufform schichten.
Die Soße darübergießen.
Nach Belieben noch mit Gouda bestreuen und 20 Minuten bei 180°C backen.

Lachsauflauf

- 0g Lachs (frisch oder TK)
- 0g Rucola
- 0g Kartoffeln
- 0g Frischkäse
- 0g Feta
- 0ml Sahne
- 3. Gouda zum Bestreuen
- Schnittlauch
- Salz

1. Kartoffeln schälen und in Scheiben schneiden.
2. Den Lachs abwaschen, trocken tupfen und in Stücke schneiden.
3. Frischkäse und Feta in Stücke schneiden und pürieren.
4. Sahne zum Kochen bringen und das Käse-Gemisch unterrühren. Mit Salz und Schnittlauch würzen.
5. Rucola abwaschen und mit dem Lachs und den Kartoffeln in eine Auflaufform füllen. Mit der Soße übergießen und nach Belieben mit Käse bestreuen.
6. 45 Minuten bei 200°C backen, bis die Kartoffeln weich sind.

Beilagen

Kokosmilchreis mit Beeren

500ml Milch

250g Milchreis

1 Dose Kokosmilch

2TL Speisestärke (Mais-/Kartoffelst

5EL Kokosraspeln

5EL Honig

250g Kirschen oder and Beeren

1. Die Milch aufkochen, den Milchreis dazugeben und erneut aufkochen lassen. 25-30 Minuten bei schwacher Hitze zugedeckt quellen lassen.

2. Die Kokosmilch und 3EL Honig unterrühren.

3. Kirschen pürieren, 2EL Honig und Speisestärke dazugeben. Das Ganze aufkochen lassen.

4. Die Kokosraspeln in einer Pfanne ohne Öl goldbraun rösten.

5. Den Milchreis mit dem Mus und den Kokosraspeln anrichten.

überbackene Ofenkartoffeln

mittelgroße Kartoffeln

g geriebener Gouda (jung)
oder Mozzarella

Kräuter
ilikum, Schnittlauch...)
oder
hzwiebeln in Ringen

Salz

Sahne zum Bestreichen

1. Kartoffeln unter dem Wasserhahn mit einer Bürste säubern.
2. Die Kartoffeln quer halbieren und auf einem, mit Backpapier ausgelegtem Blech verteilen.
3. Schnittseiten mit Sahne bestreichen und nach Belieben und Verträglichkeit belegen.
4. 20 Minuten bei 180°C backen.
5. Wenn die Kartoffeln weich sind, den Käse und die Kräuter oder Lauchzwiebeln großzügig darauf verteilen.

Reiskroketten

125g	Reis
1	Kugel Mozzarel
1 rote	Paprika
1 EL	Petersilie
2	Eier
	Paniermehl
	Rapsöl
	Salz

1. Den Reis nach Anleitung zubereiten.

2. Die Paprika und den Mozzarella in kleine Stücke schneiden. Die Paprika kochen, dann beides vermischen und ein Dreiviertel davon pürieren, salzen und die Kräuter hinzugeben.

3. Die Paprika- Mozzarella- Masse mit dem Reis vermischen, es darf nicht zu flüssig sein, sondern sollte eine klebrige, etwas zähe Masse sein. Wenn es zu flüssig ist, einfach in einem Sieb ausdrücken.

4. Daraus mittelgroße Kugeln formen und sie erst vorsichtig im Ei wälzen, dann großzügig mit Paniermehl bedecken und in einer Pfanne mit viel Öl (oder in der Fritteuse) goldbraun braten.

5. Das restliche Mozzarella- Paprika- Gemüse dazu reichen.

Rosmarin-kartoffeln

- 0g Kartoffeln (klein)
- L geschn. Rosmarin ODER
- Zweige Rosmarin
- Rapsöl
- Salz
- n.B. Knoblauch
- n.B. Parmesan

1. Kartoffeln unter dem Wasserhahn mit einer Bürste säubern und trocken tupfen.
2. Die Kartoffeln quer vierteln und in einer Schüssel mit dem Öl, Rosmarin, Salz und nach Belieben mit gepresstem Knoblauch vermengen.
3. Das Ganze auf einem, mit Backpapier ausgelegtem Backblech 20 Minuten bei 200°C backen.
4. Dann nach Bedarf und Verträglichkeit Parmesan darauf verteilen und die Kartoffeln nochmals 5 Minuten backen, diesmal bei Oberhitze.

Pommes mit Mayonnaise

10	große Kartoffeln
	Olivenöl oder Rap
	Salz
	mildes Paprikapul

Für die Mayonnaise:

125ml	Rapsöl
1	Ei
2EL	Quark
	Salz

1. Die Kartoffeln schälen und in 0,5-1cm dicke Streifen schneiden.

2. In einer Schüssel die Kartoffeln mit etwas Öl verrühren und ordentlich mit Salz und Paprikapulver würzen.

3. Im Ofen unter ständigem Wenden bei 200°C circa 25 Minuten backen.
   Je nachdem, ob man sie lieber braun oder weich mag, die Backzeit variieren.

4. Für die Mayonnaise das Öl mit dem Ei und dem Salz pürieren.
   Danach etwas Quark hinzugeben, um die Konsistenz etwas cremiger werden zu lassen.

Bratreis kunterbunt

-)0g Langkornreis
- Möhren
- 50g grüne Bohnen (TK)
- Paprika (bunt)
-)0g Putenbrust
- Salz
- .B. Kräuter

1. Paprika abwaschen und in Streifen schneiden.
2. Das Putenfleisch in Stücke schneiden.
3. Das Fleisch anbraten, dann mit Wasser ablöschen und die Paprika dazugeben. Mit Salz und eventuell mit Kräutern würzen.
4. Die Bohnen kochen. Die Möhren in Scheiben schneiden und ebenfalls kochen.
5. Reis, Bohnen und Möhren ebenfalls in die Pfanne geben und kurz mit anbraten.

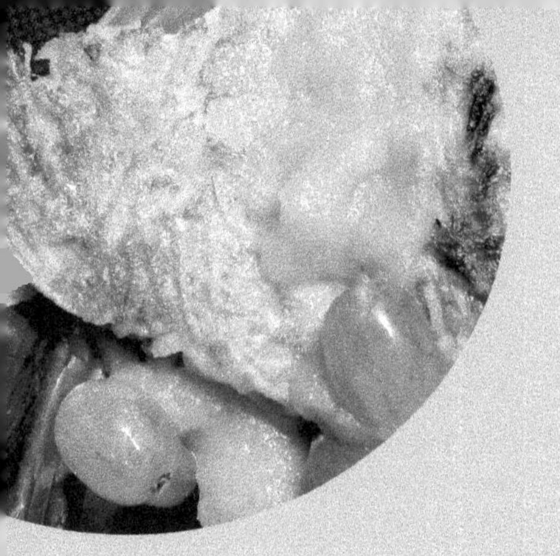

Reibekuchen

1 kg	Kartoffeln
1	große Zwiebel
1	Ei
1 EL	Mehl zum Binden (z.B. Dinkelmehl o glutenfreies Mehl)
	Salz
	Rapsöl

1. Die Kartoffeln je nach Belieben grob oder fein reiben. Die Zwiebeln schälen und in kleine Würfel schneiden.

2. Das Ei, Salz und etwas Mehl zum Binden hinzugeben und gut vermengen.

3. Die Masse in kleinen Portionen in einer Pfanne mit Öl gut durchbraten.

Tipp Schmeckt super mit Beeren, wie Preiselbeeren, Kirschen, Heidelbeeren.
Apfelmus, Karamell, Holunderblütensirup, Honig, sowie Zucker und Zimt passen auch hervorragend zu den Reibekuchen.
Zu empfehlen ist auch die herzhafte Variante mit Lachs, Parmesan, Ananas oder Mozzarella, vielleicht sogar noch mit Käse überbacken.
Eine nahrhafte Mahlzeit.

Reis-Möhren-Bratlinge

g Reis

g Möhren

Stärkemehl (Kartoffel-/Maisstärke)

Magerquark

Eier

Gouda (jung)

den Dip:

g Vollmilch-Joghurt

Honig

Kräuter

Salz

1. Reis kochen.
2. Möhren schälen und grob raspeln.
3. Reis in einer Schüssel mit Möhren, Quark, Eiern, Stärke und Käse verrühren und würzen.
4. In einer Pfanne (eventuell mit einem Vorspreisenring) 10 Minuten braten.
5. Für den Dip die Kräuter mit Joghurt, dem Honig und Salz verrühren.

gekochte Klöße

600g	Kartoffeln (meh
2	Eigelb
50g	Kartoffelmehl
40g	Butter
1	altbackenes Brö (glutenfrei ist z. verträglich)
1/2TL	Muskatnuss

1. Kartoffeln mit Schale kochen, abgießen, ausdämpfen lassen.
2. Das Brötchen stückeln und in einer Pfanne mit reichlich Butter kross rösten.
3. Kartoffeln schälen und pressen.
4. Butter schmelzen, mit dem Kartoffelmehl und Eigelb zur Kartoffelmasse geben und mit Salz und wenig Muskatnuss würzen.
5. Gut durchkneten, damit sich alle Zutaten verbinden. Wenn es klebt, etwas Kartoffelmehl untermischen.
6. In jeden Kloß ein bisschen von dem Brötchen drücken und ihn dann verschließen und formen.
7. In einem Topf Salzwasser kurz aufkochen lassen und die Klöße mit einem Löffel in den Topf geben.
8. 5-10 Minuten ziehen lassen, dann herausnehmen und in einem Sieb abtropfen lassen.

Kroketten

0g Kartoffeln

Eier

g Stärkemehl (Kartoffel-/Maisstärke)

g Butter

Salz

Paniermehl

Rapsöl

1. Kartoffeln schälen, kochen und mit einer Kartoffelpresse pressen. Abkühlen lassen.
2. Das Ei trennen und die Eigelbe, Stärkemehl, die flüssige Butter und Salz vermengen.
3. Kroketten formen.
4. Die Kroketten erst im Eiweiß und dann im Paniermehl wälzen.
5. In der Pfanne oder in der Fritteuse in heißem Rapsöl goldbraun braten.
6. Auf einem Teller mit Küchenrolle abtropfen lassen oder abtupfen.

Kartoffelchips mit Joghurtdip

10	kleine Kar
	Rapsöl
	Salz
	Paprikapul (mild)

Für den Dip:

125g	Joghurt
120g	Magerquar
100g	Feta-Käse
2EL	Honig
	evt. Kräute

1. Die Kartoffeln mit einer Bürste unter dem Wasserhahn gründlich säubern.

2. Dann die Kartoffeln in sehr dünne Scheiben schneiden oder reiben.

3. Die Kartoffeln auf einem, mit Backpapier ausgelegtem Backblech verteilen.

4. Kartoffeln ganz dünn mit dem gewürzten Öl bestreichen (Es dürfen sich keine „Ölpfützen" auf den Kartoffeln bilden!)

5. Im vorgeheizten Ofen 15 Minuten bei 200°C rösten.

6. Für den Dip den Fetakäse pürieren und unter die restlichen Zutaten mischen, würzen und eventuell noch Kräuter hinzufügen.

Polenta- Pizza

›0g	Zucchini
›25g	Maisgrieß oder Polenta
›0g	Gouda
	Lauchzwiebeln
rote	Paprika
gelbe	Paprika
.B.	Kräuter
	Salz

1. Die Polenta nach der Anleitung zubereiten und ordentlich salzen.

2. Das Ganze auf einem, mit Backpapier ausgelegtem Backblech gleichmäßig verstreichen.

3. Die Zucchini und die Paprika waschen, entkernen, in dünne Streifen schneiden und auf der Polenta verteilen. Die Lauchzwiebeln in Ringe schneiden und ebenfalls auf dem Blech verteilen.

4. Im Ofen bei 180°C circa 30 Minuten backen. Dann nach Belieben mit Käse und Kräuter bestreuen.

GEMÜSE

Grillgemüse

2rote	Paprika
2gelbe	Paprika
2	Zwiebeln
1	Zucchini
4	große Möhren
1	Knoblauchzehe
	Olivenöl
	Salz

1. Gemüse abwaschen, schälen und in mundgerechte Stücke teilen. Zwiebeln achteln.

2. Gemüse mit Öl, Knoblauch und Kräutern vermischen.

3. In einer Grillschale auf den Grill legen oder im Ofen bei 200°C backen, bis es leicht braun ist.

Möhren-Blumenkohl-Gemüse

2 Bund Möhren

2 Blumenkohl

:L geröstetes Sesamöl

Salz

r den Dip:

)0ml Joghurt

:L Honig

Kräuter

'etersilie, Schnittlauch)

1. Möhren putzen, schälen und schräg schneiden.
2. Blumenkohlröschen rausschneiden, putzen und in Scheiben schneiden.
3. Gemüse auf einem, mit Backpapier ausgelegtem Backblech verteilen. Mit Sesamöl beträufeln.
4. 15-20 Minuten bei 180°C backen. Im Ofen rösten.
5. Für den Dip die Zutaten vermischen und seperat zum Gemüse reichen.

Buntes Gemüse

2	Paprika
1	Blumenkohl
4	Möhren
	Salz
	Käsesoße

1. Paprika entkernen, abwaschen und in Stücke schneiden.

2. Röschen vom Blumenkohl trennen und abwaschen. In mundgerechte Stücke schneiden.

3. Möhren schälen und schräg in Scheiben schneiden.

4. Alles zusammen kochen, salzen und mit Käsesoße (siehe S. 55) übergießen.

Käsesoße

0ml Sahne
g Parmesan
0g Gouda (jung)
L Soßenbinder (hell)
L Kräuter (Petersilie)
Salz

1. Die Sahne aufkochen.

2. Soßenbinder, Parmesan, Gouda, Salz und Kräuter hinzugeben und erneut aufkochen. Dabei ständig rühren.
Parmesan kann unverträglich sein!
Dann einfach weglassen.

Fleisch

nd Fisch

Seelachs in Kräuterpanade

4Stck. Seelachsfilet (fr

200g Paniermehl (wenn unverträglich, glute

1 Ei

4EL Petersilie

3EL Schnittlauch

1EL Basilikum

Salz

Rapsöl

1. Seelachsfilet säubern und trocken tupfen.
2. Auf einem Teller ein Ei aufschlagen und verquirlen. Auf einem anderen Teller Paniermehl mit Kräutern vermischen (Mengenangaben sind nur circa).
3. Seelachsfilet erst im Ei, dann im Kräutergemisch wälzen, bis der Fisch vollständig mit Panade bedeckt ist.
4. Dann in einer Pfanne mit Rapsöl ausbraten, bis die Panade goldbraun ist.

Kokospanade

dünne Putensteaks

Ei

0g Kokosraspeln

L Honig

Rapsöl

1. Die Putensteaks abwaschen, trocken tupfen und im Ei wälzen.

2. Das Steak großzügig von beiden Seiten mit Kokosraspeln bedecken.

3. Dann im Honig wälzen und erneut in den Kokosraspeln wenden.

4. In einer Pfanne mit Öl goldbraun braten.

Tipp: Funktioniert auch mit Fisch, z.B. Seelachsfilet. Schmeckt auch super, wenn man zu den Kokosflocken pürierte Paprika gibt.

Geschnetzeltes mit Zucchini

300g	Putenfleisch
1	Zwiebel
200g	Zucchini
200ml	Sahne
	Petersilie
	Salz
	Rapsöl

1. Putenfleisch säubern, trocken tupfen und in mundgerechte Streifen schneiden.

2. Zwiebel schälen und würfeln. Zucchini abwaschen, halbieren und in Scheiben schneiden.

3. Putenstreifen im Öl kross braten.
   Zwiebeln und Zucchini dazugeben und kurz mitbraten.

4. Die Sahne dazugeben und einkochen, bis die Soße sämig wird. Eventuell noch etwas Wasser hinzugeben.

5. Mit Salz würzen und die Petersilie dazugeben.

überbackener Rotbarsch

Stck. Rotbarschfilet
'2 große Zwiebel
'2 große Paprika (rot)
ml Sahne
g Gouda (jung)
Petersilie
Salz

1. Zwiebel schälen und fein würfeln.
2. Paprika entkernen, abwaschen, in Stücke schneiden und mit den Zwiebeln pürieren.
3. Den Saft abgießen und Salz und Sahne dazugeben.
4. Das Ganze dick auf dem Fisch verteilen. Die Petersilie ebenfalls dick darauf verteilen.
5. Den Fisch im Backofen 10 Minuten bei 180°C backen. Dann den Käse darüberstreuen und nochmals circa 20 Minuten backen.

Tipp: Schmeckt auch super mit z.B. Seelachsfilet oder auf Putensteaks.

Register

Demnächst im Handel!

Leben ohne Histamin - Das Frühstücksbuch